Este libro pertenece a:

Wallace, Karen
    ¡Ay caray, Sofi! / Karen Wallace ; traductor Julio Caycedo ;
ilustraciones Garry Parsons. -- Bogotá : Panamericana Editorial,
2008.
        52 p. : il. ; 19 cm.
        ISBN 978-958-30-3099-4
    1. Cuentos infantiles ingleses 2. Hábitos alimenticios - Cuen-
tos infantiles 3. Ratones - Cuentos infantiles I. Caycedo Ponce de
León, Julio Santiago, tr. II. Parsons, Garry, il. III. Tít.
I823.91 cd 21 ed.
A1191661

        CEP-Banco de la República-Biblioteca Luis Ángel Arango

¡Ay caray, Sofi!

Primera edición en Panamericana Editorial Ltda., enero de 2009

Primera edición Kingfisher, un sello editorial de Macmillan Children's Books,
© 2004 Macmillan Children's Books
Título original: *oh la la, Lottie!*
Autor: Karen Wallace
Ilustrador: Garry Parsons

© 2009 Panamericana Editorial Ltda. de la traducción al español.
Dirección editorial: Conrado Zuluaga
Edición en español: Diana López de Mesa Oses
Traducción del inglés: Julio Caycedo Ponce de León

Calle 12 No. 34-20
Tels.: (57 1) 3603077 – 2770100
Fax: (57 1) 2373805
panaedit@panamericana.com.co
www.panamericanaeditorial.com
Bogotá D.C., Colombia

ISBN: 978-958-30-3099-4

Impreso por Panamericana Formas e Impresos S.A.
Calle 65 No. 95-28. Tels.: (57 1) 4302110 – 4300355. Fax: (57 1) 2763008
Bogotá D.C., Colombia
Quien sólo actúa como impresor.

Impreso en Colombia   Printed in Colombia

Karen Wallace

¡Ay caray, Sofi!

Ilustraciones de Garry Parsons

PANAMERICANA
EDITORIAL

Contenido

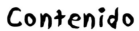

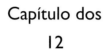

Capítulo uno

Había una vez una niña llamada Sofi Rincón.

Ella vivía con su papá y su mamá y un gran perro blanco llamado Firuláis.

Sofi tenía el cabello negro y grueso, y ojos cafés como las castañas.

Sofi siempre tenía el cabello agarrado con colitas y nunca se preocupaba por cómo se vestía.

Sofi estaba interesada en una sola cosa: jugar con Firuláis.

Todos los días, Sofi le hacía a Firuláis un nuevo corbatín que colgaba en su collar.

Todos los días, Firuláis caminaba junto a Sofi hasta el colegio.

Y cuando ella hacía tareas, él se acostaba bajo el escritorio y le mantenía los pies calientes.

Cuando ella iba a nadar, él observaba desde las tribunas.

Capítulo dos

Una noche, Sofi se sentó a cenar muy malhumorada.

Sus pantalones se habían rasgado y los botones se habían desprendido de su camisa.

Su cabello lucía como si se lo hubieran cortado con tijeras de jardinería.

–¡Ay caray, Sofi! –dijo su mamá–. Te ves tan desarreglada como la comida del perro.

Sofi miró furiosa a su mamá. Estaba tan molesta que quiso hacer algo realmente travieso.

En la mesa había coliflores con crema y alverjas con mantequilla y zanahorias.

Era la cena favorita de Sofi, pero en ese momento no le importaba.

—Si me veo tan desarreglada como la comida del perro, entonces no voy a comer una cena que un perro no querría comer.

Sofi apartó su plato.

—Firuláis odia los vegetales. Y yo también.

El señor Rincón estiró su bigote.

—¿Entonces comerás comida de perro? —preguntó.

Al otro lado del comedor había un plato con queso y galletas.

Una idea brillante surgió en la mente de Sofi.

—Por supuesto que no voy a comer comida de perro —dijo Sofi—. Yo comeré pan y queso. A Firuláis le gusta el queso —añadió rápidamente.

La mamá de Sofi levantó las cejas.

—¡Ay caray, Sofi! —dijo—. ¿Qué cosa se te ocurrirá la próxima vez?

Desde ese momento Sofi Rincón solo comió pan y queso.

Comió pan y queso
en el desayuno.

Comió pan y queso
en el almuerzo.

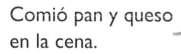

Comió pan y queso
en la cena.

Hizo lo mismo la siguiente semana y la que le siguió después.

—¿No te cansas del pan y del queso? —le preguntó su amiga Juanita.

—No —dijo Sofi—. Me encantan.

Sofi sonrió y a Juanita la respuesta le pareció
bastante extraña.

Los dientes frontales de Sofi eran, ahora, largos y
puntiagudos; y sus orejas, peludas.

Esa noche Sofi no pudo dormir en su cama.

Se metió en una pila de hojas que tenía escondida en su armario.

Capítulo tres

Al día siguiente, Sofi tenía clase de piano. Pero cuando Sofi se sentó en la banca, los ojos de su profesor le saltaron fuera del rostro.

Una cola colgaba del dobladillo de la falda de Sofi.

En la tarde, Sofi pintó un autorretrato. Cuando la profesora lo vio, saltó sobre la silla y gritó. ¡Era el retrato de un ratón!

Llamaron a los padres de Sofi para que fueran a la escuela inmediatamente.

—Lamento informarles que su hija se ha transformado en un ratón —dijo el director.

—¡Ay caray, Sofi! —chilló la mamá—. ¿Qué vamos a hacer ahora?

—Llevarla a un veterinario —dijo el director.

—Mi hija nunca irá donde un veterinario —gritó el señor Rincón—. ¡Podría agarrar pulgas en la sala de espera! Tendré que llevarla inmediatamente a la doctora.

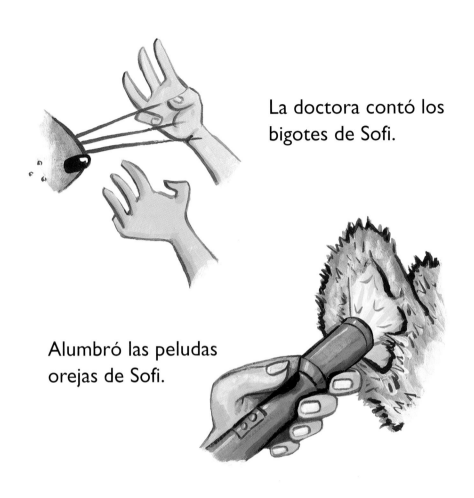

La doctora contó los
bigotes de Sofi.

Alumbró las peludas
orejas de Sofi.

Midió la longitud
de la cola de Sofi.

—Sofi definitivamente es un ratón —dijo la doctora.

—¿Qué podemos hacer ahora? —chilló la mamá.

—Ella no debe volver a comer queso —dijo la doctora.

—Solo debe comer vegetales.

—Pero me gusta ser un ratón —dijo Sofi.

Y salió corriendo fuera del cuarto antes de que alguien pudiera atraparla.

Capítulo cuatro

No importaba qué clase de verduras cocinara la mamá de Sofi.

Ni importaba si estaban crudas, fritas, al vapor o asadas.

Sofi no comía ninguna de ellas.

Después de un tiempo, su mamá se dio por vencida.

Su mamá barrió las hojas del armario de su hija en vez de hacer la cama.

Incluso hizo agujeros en los pantalones de Sofi para que su cola pudiera estar más cómoda.

El señor Rincón también renunció.

Él no le leyó a Sofi historias de hadas nunca más.

A ella no le gustaban porque los príncipes y las princesas no eran ratones.

Entonces el señor Rincón le leía aventuras de ratones y cambiaba los finales para que los ratones siempre ganaran.

En cuanto a Firuláis, él estaba muy triste porque Sofi no quiso jugar nunca más con él.

Ella estaba muy ocupada haciendo madrigueras bajo el sofá o buscando migajas en el suelo.

¡Pobre Firuláis! La mayoría de los días los pasaba al lado de la puerta.

Capítulo cinco

Un día, Juanita, la amiga de Sofi, vino a visitarla.

—¿Por qué no volviste más al colegio? —le preguntó.

Sofi salió gateando detrás del sofá.

—Los ratones no van al colegio —dijo mientras roía un pedazo de queso duro—. A los ratones no les gustan las clases.

Juanita miró fijamente sus pies.

—¿A los ratones les gusta nadar? —preguntó luego.

Sofi inclino su cabeza hacia un lado y se estiró
un bigote.

—No estoy segura.

La mamá de Sofi observaba desde la cocina, donde estaba cortando galletas en forma de ratón.

—¡Ay caray, Sofi! —dijo—. ¡Por supuesto que a los ratones les gusta nadar!

Firuláis levantó de su gancho la bolsa de natación de Sofi y entró en la cocina meneando la cola.

—Muy bien —dijo Sofi—. Voy a ir.

Entonces Sofi y Juanita fueron a la piscina y Firuláis se sentó en la tribuna.

Juanita saltó a la piscina.

Sofi se quedó en la orilla. Observó el agua y repentinamente sintió miedo.

¡Su mamá no tenía razón en todo!

—¡Sofi! —le gritó Juanita—.
¿Algo anda mal?

—¡A los ratones NO les gusta nadar! —gritó Sofi.

Y sin decir ni una palabra más, desapareció.

Capítulo seis

Un día, Sofi estaba sentada en el jardín masticando una semilla de manzana.

Una semilla de manzana era bastante grande para Sofi, porque con el tiempo ella se fue encogiendo.

Cada vez se parecía más a un ratón de verdad.

Sofi tragó la semilla de manzana y siguió con otra.

Ella no se dio cuenta cuando el gato vecino se sentó a su lado.

Luego él se acercó más, Sofi pudo sentir su calor, hambre y aliento de gato.

¡Sofi supo que estaba en peligro!

—¡Auxilio, auxilio! —gritó—. ¡El gato quiere comerme!

Pero el señor Rincón no pudo oírla porque el grito de Sofi tan solo sonaba como el chillido de un ratón.

Sofí se levantó de un brinco y corrió por el pasto.

El gato corrió detrás de ella.

—¡Auxilio, auxilio! —gritó ella de nuevo.

Esta vez Firuláis levantó sus orejas.

Rápido como un rayo
corrió hacia el pasto.

Entonces Firuláis persiguió al gato justo antes de que este engullera a Sofi.

Sofi se echó sobre el pasto y lloró.

Firuláis también lloró.

Odiaba verla triste.

La mamá de Sofi corrió hasta el jardín.

—No quiero ser un ratón nunca más —sollozó Sofi—. Quiero ser una niña de nuevo.

Su mamá la besó en sus peludas y rosadas orejitas.

—Entonces tendrás que hacer lo que te recomendó la doctora —le dijo.

Capítulo siete

La doctora tenía razón.

Después de una semana de haber comido sus vegetales, Sofi era casi por completo de nuevo una niña.

Un día, cuando se había mejorado completamente, Sofi bajó a cenar.

En la mesa había coliflores con crema y alverjas con mantequilla y zanahorias.

—¡Ummm! ¡Vegetales! —dijo Sofi.

—¡Adoro los vegetales!

Y se sirvió ella misma de todo un poco.

El señor Rincón estiró su bigote.

—¿Qué pasó con Firuláis? —preguntó suavemente—.
Tú dijiste que él odiaba los vegetales.

—¡Firuláis ha cambiado su forma de pensar! —dijo
Sofi con una gran sonrisa. Bajó su tenedor y su
cuchillo y silbó.

Firuláis entró trotando al comedor con una gran zanahoria en la boca.

¡Sofi la había cortado en forma de hueso!

El señor Rincón estalló en risas.

—¡Ay caray, Sofi! —dijo la mamá—.
¿Qué se te ocurrirá la próxima vez?